To Nina,

With love from

Grannie + Granda

Sept. 199

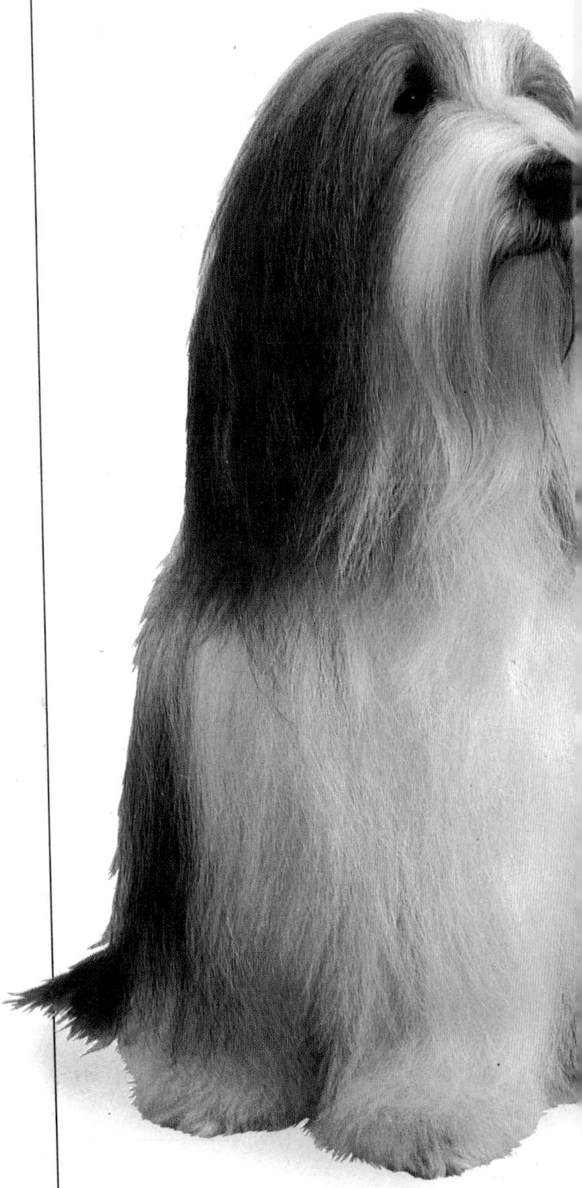

Nina Adeyeye 8N B3